Pom pom purin × Pensées

ポムポムプリンの『パンセ』

信じる勇気が生まれる秘訣

JN269222

はじめに

生きていると、
いくつもの分かれ道の前に立つことがあります。

誰かが決めるのではなく、あなた自身が選び、
前に進まなくてはならないとき。

「ほんとうに、この道を進んでも大丈夫だろうか」
「今いるこの場所は、間違いではないかな」
「これから、どうしていけばいいのだろう」

そんなふうに、
何をすればいいのか悩んでしまうのは、
人には幸せになる自由があるから。
17 世紀フランスの学者・パスカルも、
同じことで悩んでいました。

だから大切なもの、信頼できる人を見つけ、
自分を信じることができれば、
どんな道へ進んでも大丈夫なのだと考え、
そのためのヒントをいくつも書き残しました。

ポムポムプリンと一緒に
ページをひらいてみてください。
自分を信じる勇気、新たな一歩を
踏み出す希望につながる言葉が待っています。

KEYWORDS

ピタ

ちょーだい。

右にのびー

前にものびー

ピタ

ちょーだい。

右にのび〜

前にものび〜

のび〜

65 小さなことばかり気にするのはやめよう。

66 形あるものは、いつか消える。
本当に必要なものを見極める目を養おう。

68 結果にばかりこだわっていたら
同じ過ちを繰り返してしまう。

69 物事は、ほどほどが大事。

70 たまには出る杭になろう。

71 「知る」って楽しいこと。
新しい発見は、広い世界へ導いてくれる。

73 よいイメージができたら、すぐに行動に移そう。

74 自分が信じることを大切にしよう。

75 今までのやり方を変えてみよう。

76 本当に尊敬できる人ほど、親しみやすい。

77 他人と違うって、素敵なこと。

78 「正しい」と言われること
「当たり前」とされていることに疑問を持とう。

79 「人には負けたくない」
その気持ちがあるから、努力を続けられる。

80 人との出会いこそ、かけがえのない宝物。

82 人それぞれ、
もっとも力を発揮できる場所がある。

83 あなたが気づいていない隠れた才能を、
誰かが見つけてくれるかもしれない。

84 目に見えないものこそ、
幸せを与えてくれる。

85 考えることをやめなければ、
いまより賢く、もっと強くなれる。

86 人間はとても弱い生き物。
でも、「知恵」という武器がある。

87 毎日をきちんと過ごそう。

88 うまくいく日もあれば、うまくいかない日もある。

89 ちょっと寄り道してみよう。
新しい出会いがあるかもよ。

91 絡まった糸の先に、思いがけない発見がある。

92 たくさん経験して、いっぱい学んで、
素敵な大人になろう。

93 「知らないこと」に気づくこと。
それが成長の大きな一歩。

94 時間やお金は関係ない。
すべてはアイデア次第。

95 「そのとき」がきたら、
迷わずに、飛び立とう。

97 いいアドバイスを受けたら、
それを積極的に実行しよう。

98 大切な「言葉」は心に刻もう。
いつか理解できる日が訪れる。

99 同じ目標を持つ仲間と一緒に
頑張れる環境を作ろう。

100 ライバルがいるって、すごいこと。

102 誰だってダメなところや弱い面はある。

103　いつも謙虚さを忘れずに。

104　なんで、他人と比べちゃうんだろう。

105　努力し続ける人は、認められる。

106　幸せのカタチはいろいろ。
小さなものから大きなものまで、
あちこちに散らばっている。

107　探していても、見つからない。
自分の居場所は自分の手で作りだそう。

108　「見て見ぬふり」はやめて、
できることから始めよう。

109　「当たり前」と思っている、
その一つでも欠けてしまったら、
いまのあなたはいなかったかも。

110　愛されたいから、愛してみる。

112　もっと柔軟に。なるように、なるさ。

113　人を大切にできるって、とても素晴らしい。

ぼくが
モデル
でちゃか？

みんな、
幸せでいたいんだ。

「幸せ」の定義って、人それぞれ。家族や友だち、恋人との時間を大事にしたい人もいれば、仕事や趣味に没頭したい人もいる。何に幸せを感じるかは違うかもしれないけれど、みんな、幸せになりたいと思っている。周りの人、みんなが幸せになるにはどうすればいいか。一生懸命、考えよう。

人間は幸福であろうと願い、幸福であることしか願わず、またそう願わずにはいられない。『神なき人間の惨めさ　一六九』

素敵なところを見つけよう。誰とだって、仲良くなれる。

肩書や学歴、職業……わかりやすいものさしで、他人のことを判断していない？　でも、それはやめよう。その人ならではの魅力をたくさん見つけよう。

世間では、詩人という看板を掲げなければ、詩の鑑定ができる者として通用しない。『精神と文体とに関する思想　三四』

人を疑わない。
自分を信じ過ぎない。

初対面の相手を第一印象で判断してしまうことってない？　でも、何度か会っているうちに印象が変わることもあるよね。いつも見方次第で物事が違って見えることを心に留めておこう。

哲学をばかにすることこそ、真に哲学することである。『精神と文体とに関する思想　四』

目の前の人を
どう感じる？

訳もなく周りの人がつまらなく感じたり、嫌な面が目についたり。そうなるのは、疲れが溜まって、感受性が鈍くなっているせいかも。そんなときは、好きなことをして、心と体をリフレッシュさせよう。

人は精神が豊かになればなるほど、独特な人間がいっそう多くいることに気がつく。普通の人たちは、人々のあいだに違いのあることに気づかない。『精神と文体とに関する思想　七』

自分で見つけた答えなら、
きっと後悔はしない。

何かを決断するとき、いろんな人の意見を聞くことは大切。でも、他人にいくら説得されても、自分でちゃんと納得しないと動けないこともある。考え抜いて答えが出たら、あとは振り返らずに前に進もう。

人はふつう、自分自身で見つけた理由によるほうが、他人の精神のなかで生まれた理由によるよりも、いっそうよく納得するものである。『精神と文体とに関する思想　一〇』

相手の気持ちを大事に。
そうすれば、
自分の気持ちも伝わる。

人に気持ちを伝えるときに大事なのは、相手も楽しい気持ちでいられるように心がけること。そうすれば、進んで話を聞いてくれる。君の言いたいことも、きちんと伝わる。

権力によらず優しさで、王としてでなく僭主《せんしゅ》として、説得する雄弁。『精神と文体とに関する思想　一五』

言葉をつくして、
思いを伝えよう。

同じ話なのに、ちゃんと伝わるときもあれば誤解されるときもある。同じ言葉でも、相手が受け入れられるベストなタイミングでないと、うまく伝わらないときもある。

言葉は、ちがった配列をすると、ちがった意味を生じ、意味は、ちがった配列をすると、異なった効果を生じる。『精神と文体とに関する思想　二三』

虚しくなる「楽しさ」は本物じゃないよ。

一人でおるすばんは寂しい。予定がないと不安で、誘われるまま遊びに行ってしまうときも。でも、それに虚しさを感じるなら、無理してでかけるのはやめよう。落ち着いて考えごとをしたり、何か手作りしたり。有意義に思える時間を過ごそう。

快いものと真実なものとが、必要である。しかし、その快いものは、それ自体、真なるものからとってこられたものでなければならない。『精神と文体とに関する思想　二五』

いつもアンテナを
広げていよう。

世の中には知らないことがいっぱいある。
好きなことや興味のあることに夢中になるのもいいけど、それだけだともったいない。
新しいものをどんどん受け入れよう！

すべてを少しずつ。（略）一つのものについてすべてを知るよりずっと美しいからである。このような普遍性こそ、最も美しい。『精神と文体に関する思想　三七』

居心地のよい場所から
勇気を出して、
一歩、外へ。

自分にとって都合のいい人にばかり囲まれていると、楽だし居心地もいい。でも、甘えてばかりだと、成長する機会を失ってしまうよ。あえて、違う考えの人や厳しい環境へ飛び込んでみない？

人間は、欲求でいっぱいで、それをみな満たしてくれる人たちしか好きではない。『精神と文体とに関する思想　三六』

思いやりのない一言は、
人を深く傷つける。

他人のちょっとした失敗を責めすぎていない？　自分が言われて嫌なことは、たとえ親しい間柄でも言わないようにしよう。とくに自分より弱い立場の人を責めるのは、絶対にやめよう。

人間は、意地悪が好きである。（略）なぜなら、邪欲はわれわれのすべての動きの源であるから。『精神と文体とに関する思想 四一』

他人の評価なんて、気にしない。

「人から褒められたい」「人気者になりたい」という欲求は誰にでもある。でも、その気持ちや行動が前面に出すぎるのは、どうだろう？　いつも気持ちよく過ごしていれば、自然と人は集まってくるよ！

君は人からよく思われたいと望んでいるのか。それなら、そのことを自分で言ってはいけない。『精神と文体とに関する思想 四四』

決断するのは、
他人じゃなくて、自分自身。

新しいことに挑戦しようとすると、「君のことを考えて」と言って、忠告ばかりする人がいる。もちろん本気で心配しているのかもしれない。でも意見やアドバイスを真剣に聞いたあとは自分の頭で考えて、自分の意思でどうするか決めよう。

警句をよく吐く人、悪い性格。『精神と文体とに関する思想四六』

いつものことを
丁寧にやってみよう。

計画通りにできない、目標をクリアできない。そんなふうに、失敗が続くと自己嫌悪に陥りがち。そんなときは、いつもより早く起きたり、部屋の掃除をしたり、いつものことを「きちんと」やってみよう。達成感を得られるし、自然と前向きになれるよ。

人は自分自身を知らなければならない。それがたとえ真理を見いだすのに役立たないとしても、すくなくとも自分の生活を律するには役立つ。『神なき人間の惨めさ　六六』

本気で伝えたい
気持ちや熱意。
それは、人の心を動かす。

メールでは自分の気持ちや考えを、上手に伝えられないこともある。でも、そこで諦めないで不器用でもいい、気持ちを込めて直接話せば、本気で考えていることが伝わるはず。相手の心にも、きっと響く。

上手に話すけれども、上手に書けない人たちがある。それは、場所や一座の人々が彼らを熱中させ、その熱がないときには見いだされないものを、彼らの精神から引き出すからである。『精神と文体とに関する思想　四七』

LOVE

人にはそれぞれ、ちょうどいいペースがある。

同じことをしていても、効率よく進める人もいれば、手間取る人もいる。周りのスピードを気にして、不安にならなくても大丈夫。一歩一歩、自分のペースを守ることが大事。いつかは必ず、目的の場所にたどり着けるよ。**焦らず、落ち着いて前だけを見よう。**

あまり早く読んでも、あまりゆっくりでも、何もわからない。『神なき人間の惨めさ　六九』

自分らしい仕事をしたい。
でも、「天職」ってなんだろう？

働く前からその仕事が自分の「天職」かなんて、ほとんどの人はわからない。本当に苦手なことや嫌いなことは続かない。自分らしい仕事に出会うためにも、まずは目の前のことを一生懸命やろう。

一生のうちでいちばん大事なことは、職業の選択である。ところが、偶然がそれを左右するのだ。習慣が、石工、兵士、屋根屋をつくる。『神なき人間の惨めさ　九七』

やらなきゃいけないことを、
後回ししそうなときは……。

明日は早起きしなきゃいけないのに、ついつい夜更かししてしまう。そんなときは、明日、自分が困っている場面をイメージしてみよう。嫌な仕事はさっさと片付けてしまうこと。

われわれの情念が、われわれに何ごとかをさせるときには、われわれは自分の義務を忘れてしまう。『神なき人間の惨めさ 一〇四』

自分の目で、耳で確認して、判断しよう。

悪気はないけど、物事を大げさに話す人っている。会話を盛り上げたい、注目を集めたいって思いから、ついつい「盛って」いるのかも。大事なことを決断する場合は、必ず自分自身で確認しよう。

人々が、その言っていることに利害関係を持っていないからといって、その人たちが嘘《うそ》をついていないと、絶対的に結論するわけにはいかない。なぜなら、ただ嘘をつくために嘘をつく人もあるからである。『神なき人間の惨めさ　一〇八』

ないものねだりは、
もうやめよう。

他人の持っているものが良く見えたり、ここ以外のどこかに自分の居場所があるんじゃないかと思ったり。目の前のことを疎かにしていると、幸せになるチャンスを逃してしまうよ。

今ある快楽が偽りであるという感じと、今ない快楽のむなしさに対する無知とが、定めなさの原因となる。『神なき人間の惨めさ――〇』

いい先生、
いい友だちを持とう。

周りからの影響って大きいもの。ベースがしっかりしていれば、何事も着実に積み重ねることができる。みんなの助けを借りて、基礎をきちんと身につけて、焦らず、自分のペースで成長しよう。

よい土地にまかれた種は、実を結ぶ。よい精神にまかれた原理は、実を結ぶ。『神なき人間の惨めさ　一一九』

悲しい、辛いことがあっても
立ち止まらないで。

悲しみの最中にいると、それが、このままずっと続くように思えて絶望的になる。でも、どんなことでも必ず終わりがくる。大げんかしても、笑顔で話せるときがやってくる。心の傷は、時間が癒してくれる。

時は、苦しみや争いを癒《いや》す。なぜなら人は変わるからである。もはや同じ人間ではない。侮辱した人も、侮辱された人も、もはや彼ら自身ではないのである。『神なき人間の惨めさ　一二二』

強気な自分と弱気な自分
どっちも同じ「自分」。

昨日はなんでもうまくいく気がしていたのに、今は不安になってやる気が出ない。お天気のように気持ちが変化するのは、みんな同じ。

人間は、生来、信じやすくて、疑いぶかく、臆病で、向こう見ずである。『神なき人間の惨めさ　一二五』

部屋に
閉じこもらないで！

気分が沈んでいると、誰にも会いたくなくて、部屋に閉じこもってしまう。でも、ずっとそうしていると、ますます悲観的になってしまう。狭い部屋から一歩外に出てみよう。散歩するって、気分がいいよ。

われわれの本性は運動のうちにある。完全な静止は死である。『神なき人間の惨めさ　一二九』

忙しいって、
幸せなことなんだ。

「仕事なんか辞めてやる！」なんて思うときもある。でも、何もやることがなくなると、ポッカリ心に穴があく。やることがあるって、素晴らしいこと。ちゃんと息抜きをして、明日もがんばろう。

人間にとって、完全な休息のうちにあり、情念もなく、仕事もなく、気ばらしもなく、集中することもなしでいるほど堪えがたいことはない。『神なき人間の惨めさ　一三一』

頑張った人だけが
たどりつける
「勝ち」「負け」の先にあるもの。

じつは一番大切なのは、勝負の結果ではなくて、その過程。すぐに結果が出なくても、がむしゃらにやった充実感、そして支え合った仲間たちは、かけがえのない宝物になる。

われわれを楽しませるのは、戦いであって、勝利ではない。『神なき人間の惨めさ　一三五』

たった一言でハッピーになるし、
何気ない仕草で傷ついてしまう。
人の気持ちって不思議だね。

嬉しいことは一緒に喜んで、悲しいことや辛いことがあったら、隣でそっと励まそう。そして、できるならいつも笑顔を忘れずにいたいね。

わずかのことがわれわれを悲しませるので、わずかのことがわれわれを慰める。『神なき人間の惨めさ　一三六』

「やりたいこと」が
見つからなくても大丈夫。

誰にも負けない強みやはっきりした夢がなくても、心配する必要はないよ。目の前のことを確実にやりとげよう。いまやっていることの先に、「道」が見えてくる。

人間は、屋根屋だろうが何だろうが、あらゆる職業に自然に向いている。向かないのは部屋《へや》の中にじっとしていることだけ。『神なき人間の惨めさ　一三八』

完璧を
求めすぎないで。

もっと、もっと、なんでも欲しい。欲しいものを数え出したらキリがない。でも、よく考えて。無いものを数えて虚しくなるなんて、おかしいよ。

人は彼らに、彼らの健康や名誉や財産や、また彼らの友人たちのそれらのものまで良い状態になければ、幸福になりえず、ただ一つ欠けても不幸になるだろうと教え込む。『神なき人間の惨めさ　一四三』

大事だと思うことだけ、考え続けよう。

人生は決断の連続。正しい判断をするために自分なりの価値観を持とう。そのために新たな知識や経験を学び続けることも大切だけど、本当に大事だと思うことをしっかり考えて、悔いのない生き方をしよう。

人間は明らかに考えるために作られている。それが彼のすべての尊厳、彼のすべての価値である。そして彼のすべての義務は、正しく考えることである。『神なき人間の惨めさ 一四六』

認められたい気持ち。
それに振り回されすぎないで。

誰だって、周りの人に認められたい。尊敬されたい。そう思うもの。でも、その気持ちに振り回されすぎると、褒めてくれる人の意見だけを聞くことになってしまうかも。

われわれは、全地から、そしてわれわれがいなくなってから後に来るであろう人たちからさえ知られたいと願うほど思い上がった者であり、またわれわれをとりまく五、六人からの尊敬で喜ばせられ、満足させられるほどむなしいものである。『神なき人間の惨めさ　一四八』

いつも気配りを忘れず、気分よく過ごしたいね。

ときどき、周りにいる人たちへの気配りを忘れてしまう。駅で、お店で、レストランで。そのときだけ居合わせた人たち、みんなが気分よく過ごせる態度で、いたいよね。

われわれが通りすぎる町々。人はそこで尊敬されることなど気にかけない。しかし、そこにしばらく滞在するとなると、気にかける。『神なき人間の惨めさ　一四九』

自信や誇りは、周りからの評価の積み重ね。

自分では良くやったつもりでも、人から評価されないと今ひとつ達成感がない。一方で、迷いがあっても、誰かから「いいね」って褒められると、自信をもてる。人って、そういうもの。

虚栄はかくも深く人間の心に錨《いかり》をおろしているので、兵士も、従卒も、料理人も、人足も、それぞれ自慢し、自分に感心してくれる人たちを得ようとする。『神なき人間の惨めさ　一五〇』

感動したこと、役に立つことは、みんなと分かち合おう。

面白かった本や映画、美味しいパンケーキのお店。印象に残った出来事は、心の中に留めないで、どんどん友だちに話してみよう。そうやって話すことで、楽しさは倍になるよ。

好奇心は、虚栄にすぎない。たいていの場合、人が知ろうとするのは、それを話すためでしかない。さもなければ、人は航海などしないだろう。『神なき人間の惨めさ　一五二』

友だちって、
案外むずかしいもの。

自分のことを大切に思ってくれる本当の友だちをつくるのは意外とむずかしいもの。だけど、もっと親しくなりたい、そう思える相手に出会ったら丁寧に付き合おう。

真の友というものは、最も身分の高い貴族たちにとっても、彼らのことをよく言ってくれ、彼らがいないところでさえ彼らを支持してくれる、実にありがたいものなので、それを得るためには、あらゆる努力をしなければならないほどのものである。『神なき人間の惨めさ　一五五』

困っている人がいたら、さりげなく手助けをしよう。

励ましの言葉やアドバイスよりも、ちょっとした手助けのほうが、嬉しいことがある。相手の立場になって、先回りして動く。そんな気遣いができる人になろう。

隠れた美しい行為は、最も値うちのあるものである。『神なき人間の惨めさ　一五九』

小さな行動が、
未来を変える。

過去を振り返って、後悔ばかりするのは意味がないことかも。でも、ささいな出来事がその後に大きな影響を与えることも事実。

クレオパトラの鼻。それがもっと短かったなら、大地の全表面は変わっていただろう。『神なき人間の惨めさ　一六二』

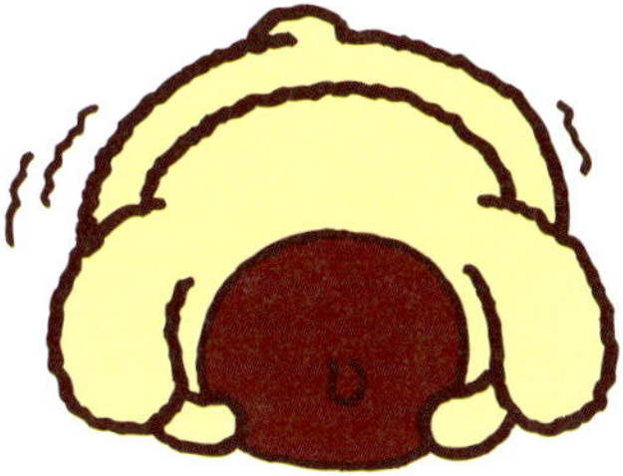

始まっていない「未来」は 気にしてもしようがない。

大切なのは「現在《いま》」。いま、できることに最善を尽くす。いま、目の前にあることに感謝する。そうすれば、きっと、「今日」と同じように素敵な「明日」がやってくる。

われわれは何ものでもない前後の時のことを考え、存在するただ一つの時を考えないで逃がしているのである。『神なき人間の惨めさ　一七二』

耐えられないときは
逃げたっていい。

大きな悲しみに直面すると、無力感にさいなまれる。乗り越えようとするほど、より悲しみが深くなってしまう。無理に向き合おうとせず、毎日を過ごそう。嫌なことを考え過ぎなくてもいいんだよ。

人間は、死と不幸と無知とを癒《いや》すことができなかったので、幸福になるために、それらのことについて考えないことにした。『神なき人間の惨めさ　一六八』

何もないことが、武器になることだってある。

社会的地位や財産──。人から羨まれるものをたくさん持っていても幸せとはかぎらない。失ってしまう恐ろしさに身動きがとれなくなることだってある。反対に失うものがなければ、迷わず突きすすめることも。

地位の高い者にも低い者にも、同じ事故、同じ悩み、同じ情欲がある。ただ、一方は車輪の上のほうにあり、他方は中軸の近くにいる。だから後者は、同じ運動によっても揺り動かされ方が少ない。『神なき人間の惨めさ　一八〇』

違うなら違うって、
声に出さないと伝わらないよ。

話し合いの場で、みんなと違う意見を言い出せずに終わってしまう。でも、黙ったままだと「賛成」しているのと同じこと。待っているだけではダメ。言うべきことは、きちんと言おう。

どんな対話や議論の場合でも、それで憤慨する人たちに向かって、「何が気に入らないのですか」と言えるようでなければいけない。『賭の必要性について　一八八』

大人になるって、自分の力で立てるようになること。

経済的にも精神的にも、自立するって難しい。でも、その分、大きな自由を手に入れられる。一人で生きる大変さを体験すればこそ、他人にも優しくなれるし、助け合うこともできる。

人はひとりであるかのようにしてやっていかなければならないのである。『賭の必要性について　ニーー』

人生は一度きり。
自分で可能性を決めないで、
チャレンジしよう。

これから先、何が起きるか誰にも予想できない。「いつかやろう」と思っていても、その「いつか」はやってこないかもしれない。やりたいことは、どんどん挑戦する。後悔のない人生を歩もう。

不意の死だけが恐るべきものである。だから、大貴族の家には聴罪師が住んでいる。『賭の必要性について　二一六』

長いスパンで考えると、大切にすべきことが見えてくる。

目の前のことで一喜一憂してしまう。そんなときは、将来、どういう状況になっていたいか考えてみよう。そして、具体的に何をすればいいのか、逆算してみよう。さっきまで憂鬱になっていたことが、何でもないことに思えるかも。

われわれの想像力は、現在の時について絶えず思いめぐらしているので、それを非常に拡大し、永遠については思いめぐらさないので、それを著しく縮小する。『賭の必要性について　一九五の二』

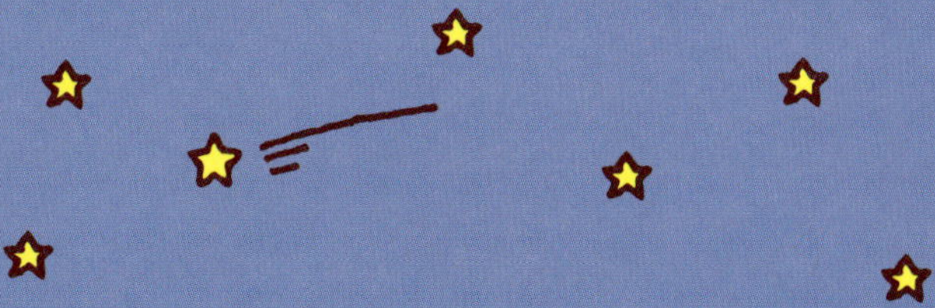

小さなことばかり
気にするのはやめよう。

みんなで大きな仕事に取り組もうとしたときに、仲間の一人の些細な失敗が気になってしまう。そんなときは、仕事全体を考えてみよう。そうすれば本当に大切なポイントに気がつけるはず。

小さなことに対する人間の感じやすさと、大きなことに対する人間の無感覚とは、奇怪な転倒のしるしである。『賭の必要性について　一九八』

形あるものは、いつか消える。本当に必要なものを見極める目を養おう。

目の前にあるものがなくなってしまうと思うと、不安になる。でも、本当に必要なものって、そんなにないのかもしれないよ。

持っているものがみな流れ去ってしまうのを感じるのは、恐ろしいことだ。『賭の必要性について　二一二』

結果にばかり
こだわっていたら
同じ過ちを繰り返してしまう。

偶然、大きな失敗につながっていないだけで、本当はやり方を間違えていることもある。何が本当に大切なことなのか、いつも考えるようにしよう。

<彼らは事実を見たが、原因を見なかった>『賭の必要性について　二三五』

物事は、
ほどほどが大事。

失敗したくない、一度で成功させたい。その気持ちが強すぎて、完璧なプランができないと動けないのは本末転倒。でも何も考えず走り出すのは、ただの無謀。走りながら修正を加えて、目標を達成できるバランス感覚を大事にしよう。

二つの行き過ぎ。理性を排除すること、理性しか認めないこと。『信仰の手段について　二五三』

たまには
出る杭になろう。

一人だけ違う意見を言うのは勇気がいる。周りに合わせて、埋もれていれば楽かもしれない。でも、言うべきことは積極的に主張して、周りを巻き込む信念を持とう。一方で、意固地になりすぎていないか、自分のことを振り返るのも忘れずに。

否定することと、信じることと、正しく疑うこととは、人間にとって、馬にとっての走ることと同じである。『信仰の手段について　二六〇』

「知る」って楽しいこと。新しい発見は、広い世界へ導いてくれる。

少しでも興味をもったことは、どんどん学んで吸収しよう。知識が増えると、もっと知りたくなる。視野が広がると毎日が充実するし、ワクワクすることが増えるよ。

精神的なものに対する飢えがなければ、人は退屈する。『信仰の手段について　二六四』

よいイメージができたら、すぐに行動に移そう。

何か新しいことにチャレンジするときは、成功して喜んでいる自分を具体的に想像してみよう。それがスイッチになって、「よーし、やるぞ！」ってやる気が出る。ただ思い描いているだけじゃなく、積極的な行動が成功の鍵。

人々はしばしば自分たちの空想を心情ととり違える。そして回心しようと考えるやいなや、回心したと信じてしまう。『信仰の手段について　二七五』

自分が信じることを大切にしよう。

先輩や、上司、目上の人に言われたことに、従わざるを得ないときもきっとある。でも、それでも自分のほうが正しいと思うことがあるのなら心のなかで、その気持ちを大事にあたため続けよう。

人は、正しいものを強くできなかったので、強いものを正しいとしたのである。『正義と現象の理由　二九八』

今までのやり方を変えてみよう。

指示された通りにやったのに、うまくいかなかったり、効率悪く感じたら。それは改善するチャンス。自分でより良いやり方を考えて、変えていけば、自分だけでなく周りも喜ぶ。

なぜ人は古い法律や古い意見に従うのか。それらが最も健全であるからか。いな、それらが、それぞれ一つしかなく、多様性の根をわれわれから取り除いてくれるからである。『正義と現象の理由　三〇一』

本当に尊敬できる人ほど、親しみやすい。

自信のない人、実力のない人ほど、自分を大きく見せようとする。威圧的な態度をとったり、大げさな話をしたり。実力がある人はいつも自然体で、誰に対しても態度が変わらない。

大法官は、いかめしく、飾り立てた服をまとっている。なぜなら、彼の地位は見せかけのものだからである。『正義と現象の理由 三〇七』

他人と違うって、素敵なこと。

人気の音楽やファッションが、好きじゃなかったり、違和感をもったりするのは自然なこと。人の好みはそれぞれ。無理して周りに合わせようとせず、自分だけの感性を磨いていこう。それが個性になるのだから。

流行が好みを作るように、また正義をも作る。『正義と現象の理由　三〇九』

「正しい」と言われること「当たり前」とされていることに疑問を持とう。

規則や常識が、すべて正しいとはかぎらない。時代や環境によって変わるものもある。疑問に思ったら、一度立ち止まって、自分の頭で考えてみよう。

正義とはすでに成立しているものである。したがって、われわれのすべての既成の法律は、それがすでに成立しているという理由で、検討されずに、必然的に正しいと見なされるであろう。『正義と現象の理由　三一二』

「人には負けたくない」
その気持ちがあるから、
努力を続けられる。

常に自信がある人よりも、コンプレックスを持っている人のほうが、飛躍的に伸びることがある。周りを見わたして、自分の位置を確認するのもたまにはいいこと。

邪欲と力とが、われわれのあらゆる行為の源泉である。邪欲は自発的な行為をさせ、力が自発的でない行為をさせる。『正義と現象の理由　三三四』

人との出会いこそ、かけがえのない宝物。

自分一人でできることはかぎられている。仲間の手助けは、あなたを大きく成長させる。いつも人と誠実に向き合うことを心がけて。困難に直面したとき、強い味方になってくれる、そんな仲間を大事にしよう。

人手を多く持てば持つほど、それだけその人は強いのである。『正義と現象の理由　三一六』

人それぞれ、もっとも力を発揮できる場所がある。

人にはそれぞれ、力を発揮できる場所がかならずある。自分が力を発揮できることってなんだろう。いつも努力していたら、きっと誰かが見ていてくれる。

人は、船の舵《かじ》をとるために、船客のなかでいちばん家柄のいい者を選んだりはしない。『正義と現象の理由　三二〇』

あなたが気づいていない
隠れた才能を、誰かが見つけて
くれるかもしれない。

やりたくないことを押しつけられると、文句を言いたくなるかもしれない。でも、あなたの隠れた能力を見抜いて抜擢されている可能性だってある。どんなことも前向きに取り組もう。

強いもの、美しいもの、賢いもの、敬虔《けいけん》なものは、それぞれ異なった部面を持ち、おのおの自分のところで君臨しているが、他のところには君臨していない。『正義と現象の理由　三三二』

目に見えないものこそ、幸せを与えてくれる。

欲しいものを欲しいだけ手にすることができても、人は満足しない。何かをやりとげた達成感、人から感謝される喜び、愛する人との温かい時間。そういった目に見えないものにこそ、幸せを感じる。

われわれのうちで快楽を感じるものは何だろう。（略）それは何か非物質的なものでなければならないということがわかるだろう。『哲学者たち　三三九の二』

考えることをやめなければ、いまより賢く、もっと強くなれる。

深く考えることなく、毎日を送ることだってできる。でも、壁にぶつかったときに支えになるのは「考える力」。納得できる人生を送るためには、考え続けることも大事だよ。

考えが人間の偉大さをつくる。『哲学者たち　三四六』

人間はとても弱い生き物。
でも、「知恵」という武器がある。

地球上に生きる生物のなかでも、特に人間は弱くて、手間がかかる。衣食住だけでなく、精神的にも満たされていたいと願っている。でも、一人では生きられないことがわかっているから、知恵を出して、協力し合うことができるんだね。

人間はひとくきの葦《あし》にすぎない。自然のなかで最も弱いものである。だが、それは考える葦である。『哲学者たち　三四七』

毎日を
きちんと過ごそう。

大きな仕事を任せられたり、尊敬されたりする人は、特別な能力がある人ばかりではない。どんなときも態度が変わらない人。いつも必ず約束を守る人。そういった様子を見て、みんなが好きになって、信頼するのかもしれない。

一人の人間の徳に何ができるかは、その努力によってではなく、その日常によって測られなければならない。『哲学者たち三五二』

うまくいく日もあれば、うまくいかない日もある。

ミスが続くと、落ち込んで、投げ出したくなるかもしれない。でも、行ったり来たりするのは普通のこと。少しずつ前に進めばいい。歩みを止めないかぎり、着実に前へ進めるのだから。

人間の本性は、いつでも進むものではない。進むこともあれば、退くこともある。『哲学者たち　三五四』

ちょっと寄り道してみよう。新しい出会いがあるかもよ。

毎日、毎日、同じことの繰り返し。そう感じてしまうときは、すぐに家に帰らず、いつもなら立ち寄らない場所に行ってみよう。映画館や美術館、本屋や雑貨屋。素晴らしい作品との出会いは、固まった心をほぐしてくれるはずだよ。

何事においても、連続は、嫌気《いやけ》を起こさせる。身体をあたためるには、寒さも心地よい。『哲学者たち　三五五』

絡まった糸の先に、思いがけない発見がある。

良いアイデアが浮かばないときは、今やっていることと違うことをしてみよう。部屋の掃除をしたり、ストレッチをしたり。ふとした瞬間に、ヒントが降りてくる。

偶然がいろいろの考えを与え、偶然がそれを奪う。『哲学者たち 三七〇』

たくさん経験して、
いっぱい学んで、
素敵な大人になろう。

無駄なことなんて、何一つない。さまざまな人と出会い、少しずつ大人になっていこう。嫌な目にあっても、困難を乗り越える力、やりとげる力が身につくよ。いろんな力を身につけた大人になりたいね。

記憶は、理性のあらゆる作用にとって必要である。『哲学者たち 三六九』

「知らないこと」に
気づくこと。
それが成長の大きな一歩。

自分の得意とすること、苦手とすること。理解していること、していないこと。それを自覚している人は強い。足りない部分を素直に認めよう。

私にとっては、自分の無を知ることだけが大事である。『哲学者たち　三七二』

時間やお金は関係ない。すべてはアイデア次第。

満たされないからこそ、工夫が生まれる。自由すぎても、物があふれすぎても、きっと幸せにはなれないよ。

あまりに自由なのは、よくない。──必要なものがみなあるのは、よくない。『哲学者たち　三七九』

「そのとき」がきたら、迷わずに、飛び立とう。

集団は、その輪からはみ出す人や目立つ人を嫌う。波風を立てると、批判されるかもしれない。でも、能力のある人や成長する人は、妙なしがらみは気にしない。機が熟したら、飛び立とう。その勇気を忘れずに。

多数者というものは、だれでもそのどちらかの端から逃げ出すものに対してかみつくのである。『哲学者たち　三七八』

いいアドバイスを受けたら、それを積極的に実行しよう。

周りの人から受けたアドバイス、それをただ聞きっぱなしにするのではなく、必ず行動に移すこと。それから、すべてがはじまるよ。

世の中には、あらゆるよい格言がある。人はそれらの適用にあたって、しくじるだけである。『哲学者たち　三八〇』

大切な「言葉」は心に刻もう。いつか理解できる日が訪れる。

親や先生から言われたこと。すぐには、ぴんとこなくても、大人になって理解できることもある。無意識のうちに、頑固に拒んでしまっていたアドバイスも、それが必要となったとき、ふと、その言葉が湧き上がってくるときがあるよ。

若すぎると正しい判断ができない。年をとりすぎても同様である。考えが足りない場合にも、考えすぎる場合にも頑固《がんこ》になり、夢中になる。『哲学者たち　三八一』

同じ目標を持つ仲間と一緒に頑張れる環境を作ろう。

前向きで向上心のある人たちに囲まれていれば、引っ張られるように上を目指すようになる。反対に、やる気のない人たちと一緒にいれば、無意識のうちに堕落してしまう。いまはどんな環境なのか、冷静に判断してみよう。

すべてが一様に動くときには、船の中のように、見たところ何も動かない。（略）立ち止まった者が、固定点の役割をして、他の人たちの行き過ぎを認めさせる。『哲学者たち　三八二』

ライバルがいるって、すごいこと。

自分の周りから、尊敬できる人、ライバルだと思える人を見つけられたら、それって、とっても素敵なこと。身近にお手本がいるって、素晴らしいことだよね。

獣《けだもの》は、互いに感心しあうことはない。馬はその仲間に感心しない。
『哲学者たち　四〇一』

誰だってダメなところや弱い面はある。

自分で立てた計画通りにできなかったり、冷たい態度をとってしまったり。「こんなはずじゃないのに」って自己嫌悪に陥ることがある。反省したら、すぐに気持ちを切り替えよう。理想に近づけるように努力を重ねていこう。

人間の偉大さは、人間が自分の惨《みじ》めなことを知っている点で偉大である。樹木は自分の惨めなことを知らない。『哲学者たち 三九七』

いつも謙虚さを忘れずに。

スムーズに物事が進むと、自分の力を過信してしまいがち。まるで一人でやり遂げたような態度では人は離れていってしまうよ。油断はミスを招くこともある。好調なときほど、慎重に。

思い上がりは、あらゆる惨めさの重みと対抗し、それに打ち勝ってしまう。これこそ異様な怪物であり、きわめて明らかな迷いである。『哲学者たち　四〇六』

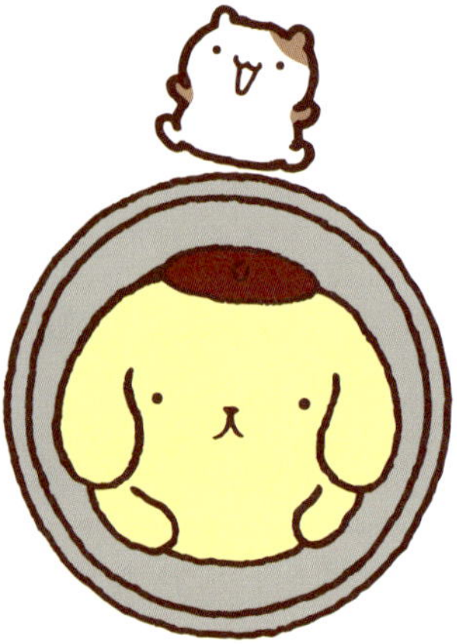

なんで、他人と比べちゃうんだろう。

勝手に誰かと自分を比べて、優越感を持ったり、劣等感を持ったりする。自分のほうが優っていると思っていた相手に負けたと思って、さらに悔しがる。そうやって自分を格付けしだしたら、永遠に劣等感から、逃れられなくなるよ。

なぜならわれわれは、獣においては自然なことを、人間においては惨めさと呼ぶからである。『哲学者たち　四〇九』

努力し続ける人は、
認められる。

どんなことも、努力なしでは進まない。うまくいったやり方が、通じないこともきっとある。でも、頑張り続ける人は、報われる日がくるはずだよ。

私には、呻《うめ》きつつ求める人たちしか是認できない。『哲学者たち四二一』

幸せのカタチはいろいろ。
小さなものから大きなものまで、
あちこちに散らばっている。

幸せの形は自分で決めること。自分で決めたことならば、手に届きそうもない大きな幸せを目標にすることも、目の前の小さな幸せを大事にすることもできる。

すべての人は、幸福になることをさがし求めている。それには例外がない。どんな異なった方法を用いようと、みなこの目的に向かっている。『道徳と教義　四二五』

探していても、見つからない。自分の居場所は自分の手で作りだそう。

居心地のよい環境は、誰かが準備してくれるものでも、すぐに見つかるものでもない。自分がやるべきことを誠実に行い、周りとの信頼関係を築く。そうやって、少しずつ居場所を作っていこう。

人間はどんな地位に自分を置いたらいいのかを知らない。彼らは明らかに道に迷っているのであり、自分の本来の場所から落ちたまま、それを再び見いだせないでいる。『道徳と教義　四二七』

「見て見ぬふり」はやめて、できることから始めよう。

ささいなことでも、誰かの役に立てることはある。褒められたい気持ちからの行動だとしても、役に立てるならいいじゃない。

不幸な人々に同情するのは、邪欲にさからうことではない。反対に、人はそういう好意のしるしを見せ、何も与えずに、情けぶかいという評判をとりたがるものだ。『道徳と教義　四五二』

「当たり前」と思っている、
その一つでも欠けてしまったら、
いまのあなたはいなかったかも。

あなたを産み育ててくれた両親。良い影響を与えてくれた先生や友人との出会いがなかったら、いまとは違う人生を歩んでいたかもしれない。その出会いに感謝しよう。

私は自分が存在しなかったかもしれないと感じる。なぜなら、自我は私が思考するところに存在するからである。『道徳と教義 四六九』

愛されたいから、
愛してみる。

誰でも、自分に好意を抱いてくれる人、親切にしてくれる人を嫌いにはならない。自然と情が移って、その思いに応えようとする。相手に好かれたいなら、まずは自分から行動すること。

われわれが他人から愛される値うちがあると思うのは誤りであり、それを望むのは不正である。『道徳と教義　四七七』

もっと柔軟に。
なるように、なるさ。

物事が思い描いたように動かないと、イライラする。でも、人をコントロールできるなんて無茶な考えだよ。あるがままを受け入れよう。そうすれば気持ちに余裕もできるし、想定外のことにも柔軟に対応できるようになるよ。

我意は、すべてのことを心のままになしえた場合にも、決して満足しないであろう。しかし、人は我意を投げ捨てたその瞬間から満足する。『道徳と教養　四七二』

人を大切にできるって、
とても素晴らしい。

相手を思いやる気持ちをいつも忘れずにいること。いつもそんな心の状態でいられることほど、幸せなことってない。

普遍的な善は、われわれのうちにあって、われわれ自身であり、しかもわれわれではないものである。『道徳と教義　四八五』

ちっぽけな自分。
だからこそ、
自分を大事にしよう。

一人の力では、何も変えることができない。確かにそういうことは多い。けれど、そう簡単にすべてを諦めないで。

ごく小さい運動も全自然に影響する。大海も一つの石で変動する。そのように、恩恵の世界でも、ごく小さい行為がその結果をすべてのものに及ぼす。ゆえに、すべてのものが重要である。『道徳と教義　五〇五』

ポジティブな言葉が
幸せを引き寄せる。

悪いことばかり考えていたら、必ずそうなる。だから、いいことだけを思い浮かべて。

人間は、おまえはばかだとたびたび言われると、そう思いこみ、またおれはばかだと自分にたびたび言いきかせると、そう思いこむようにできている。『道徳と教義　五三六』

都合よく、
理解していない？

誰かからのアドバイス、起きてしまった出来事。それを自分の都合がいいように理解していることはない？

弱者とは、真理を認めはするが、自分の利害がそれに合致するかぎりにおいてのみ、それを支持する人々のことである。そうでないときには彼らは真理を放棄する。『キリスト教の基礎 五八三』

神様がいるって、信じてみて。

不測の事態に備えておいたこと。人知れず、やった親切。あなたのしていることを、きちんと見ている人はいる。

その話が真実であるならば、われわれはそれによって利益を得るし、そうでなければ、なおさら利益を得る。『永続性　六三四』

大事なことは、
ひとつだけ。

その目標が、自分にとって本当に大事なことだと心から思えていたら、絶対に誘惑になんか負けないよ。

「誘惑に陥らないように祈れ」誘惑されるのは危険である。そして、人々が誘惑されるのは、祈らないからである。『イエス・キリストの証拠　七四四』

悩むのは、当たり前。それが人間なんだ。

人間って、本当に矛盾している生き物。だから、悩むのは当たり前。悩んでいることを、考えすぎもせず、かと言って、忘れてしまうのでもなく、いつも抱えていること。そうすれば、少しずつ成長できる。

われわれのすべての相反するものを一致させないかぎり、りっぱな人間像をつくることはできない。『表徴　六八四』

本当に君が
成長できることかな？

同じ苦労でも、やって意味のあるものとないものがある。将来につながる試練ならそれは必ず通るべき道。でも、万が一、そうでないものだとしたら、すぐに別の道を探そう。冷静に判断できる目を養おう。

試練することと誤りに導くこととのあいだには、非常な相違がある。『奇跡　八二一』

誰にだって、
間違いはある。

当たり前のことだけど、絶対に間違わない人なんていない。だから、間違えたときや失敗したときは、素直にそれを認めて、すぐに軌道修正しよう。

人間的にいえば、人間的な確実さというものはなく、ただ理性があるだけである。『奇跡　八二三』

本当に、
相手のためになっている？

誰かのためを思ってやったこと。それが、実は相手にとっては「嫌な気分になること」かもしれない。どの立場から見るかで、「いい」「わるい」の基準は変わる。ちょっとだけ、立ち止まって考えてみよう。

人は良心によって悪をするときほど、十全にまた愉快にそれをすることはない。『論争的断章　八九五』

人を信じることから始めよう。

相手を信じられずに、決まりばかり、約束ばかりで、お互いを縛り合うのはやめよう。譲り合う気持ちを忘れずにいよう。

彼らは例外から規則をつくる。『論争的断章　九〇四』

仕返しをするのは
やめよう。

腹立たしいことがあると、相手も同じ思いをすればいいのに、なんて思ってしまう。でも、自分がやられて嫌なことを繰り返すのはナンセンス。

世から悪人どもを絶やすには、彼らを殺すべきであろうか。それは一方だけでなく、双方を悪人にすることだ。『論争的断章 九一一』

やっぱり、
最後は自分のことを信じよう。

世の中には、本当にたくさん、もっともらしいことがあふれている。でも、みんな迷いながら、自分が信じられることを探している。最後の最後は、自分が大切だと思えることを信じよう。

まことしやかなものが確かであったら、真理を求めた聖徒たちの熱意は無益であったろう。『論争的断章　九一七』

パスカル著／前田陽一、由木康訳
『パンセ』（中公文庫）から訳文を転載しました。

ブックデザイン　福間優子
原稿協力　日吉久代

ポムポムプリンの『パンセ』

信じる勇気が生まれる秘訣

2015年 4 月30日　第 1 刷発行
2025年 8 月30日　第17刷発行

編　者　朝日文庫編集部
発行者　宇都宮健太朗
発行所　朝日新聞出版
〒104-8011　東京都中央区築地5-3-2
電話　03-5541-8832（編集）　03-5540-7793（販売）
印刷製本　株式会社DNP出版プロダクツ

© 2015 Asahi Shimbun Publications Inc.
© 2025 SANRIO CO., LTD.TOKYO,JAPAN Ⓗ
キャラクター著作 株式会社 サンリオ
Published in Japan by Asahi Shimbun Publications Inc.
ISBN978-4-02-264774-0
＊定価はカバーに表示してあります
落丁・乱丁の場合は弊社業務部（電話03-5540-7800）へご連絡ください。
送料弊社負担にてお取り替えいたします。